© Norma Huidobro 2012
© Grupo Editorial Norma, 2012
San José 831, Ciudad de Buenos Aires, Argentina

Impreso en la Argentina – Printed in Argentina
Primera edición: abril de 2012

Edición: Natalia Méndez y Laura Leibiker
Coordinación: Daiana Reinhardt
Diseño de colección: Verónica Colombo
Ilustraciones: Lucía Mancilla Prieto

CC: 28003190
ISBN: 978–987–545–301-2

Huidobro, Norma
   El anillo de esmeraldas; ilustraciones de Lucía Mancilla Prieto. -
1a ed. - Buenos Aires : Grupo Editorial Norma, 2012.
   136 p. ; 13x19 cm.

   ISBN 978-987-545-301-2

   1. Literatura Infantil y Juvenil Argentina. I. Título.
   CDD A863.928 2

Fecha de catalogación: 01/09/2011

LOS CASOS DE ANITA DEMARE

El anillo de esmeraldas

Norma Huidobro

GRUPO
EDITORIAL
norma
www.norma.com

Bogotá, Buenos Aires, Caracas, Guatemala, Lima, México, Miami, Panamá, Quito, San José, San Juan, San Salvador, Santiago de Chile.

Índice

Quién es quién...

ana laura

matías

anita

inspector Bordenave

el muchacho
y la chica
del kiosco

Rogelio y
Angelina

ana
maría

Rita

Bernardo

Me gusta el verano y me gustan las vacaciones, ¿a quién, no? Y me gusta la hora de la siesta, cuando no hay nadie en la calle; al menos en mi barrio es así, en la parte de Barracas donde vivo yo, quiero decir, la que queda a la derecha de la autopista, yendo en dirección sur, y que según Ana Laura es la parte más fea de Barracas. Para mí, es la más linda. Ella vive del otro lado, en la avenida Montes de Oca, y ahí sí que es distinto, todo es distinto: el barrio y las personas. Está lleno de edificios y a la hora de la siesta hay tanta gente en la calle como a cualquier hora. No me gusta nada.

A eso de las tres, casi siempre salgo a andar en bicicleta con Matías, aunque a veces me quedo leyendo en casa. Si fuera por mi abuela, me quedaría siempre; ella dice que la hora de la siesta es para estar adentro porque en la calle no hay nadie. Y a mí me gusta precisamente por eso. Justo el viernes, que

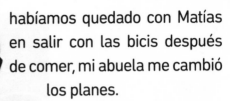

habíamos quedado con Matías en salir con las bicis después de comer, mi abuela me cambió los planes.

—Tenés que ir a buscar a Rita más temprano —me dijo, cuando yo recién empezaba a lavar los platos—. Si no está acá a las tres y media, no la puedo peinar.

Rita vive a seis cuadras de casa y viene a peinarse todos los viernes a las cinco de la tarde; mejor dicho, viene porque yo la voy a buscar. Es mi trabajo: la traigo a la peluquería y después la acompaño a su casa. Rita tiene más de ochenta años y camina despacito agarrada de mi brazo; no quiere usar bastón porque dice que la hace más vieja. A mí no me molesta acompañarla, al contrario, me gusta; Rita es muy divertida y siempre me cuenta cosas de su pasado, de cuando era bailarina en los teatros de revista y tenía muchos amantes que le hacían regalos caros. Pero ahora mi abuela me cambiaba el horario, y tenía que salir de casa por lo menos a las tres, porque con lo despacio que camina Rita, en menos de media hora no llegábamos. Y yo había quedado con Matías a las dos y media.

—¿Y a qué se debe el cambio de horario? —pregunté.

—No tuve más remedio que darles el turno de las cinco a las hermanas Pastorino. Esta noche tienen una fiesta, así que quieren tintura, corte, peinado y manicura. Me llamaron recién. Les dije que vinieran ahora, pero no pueden. Igual, Rita no se va a enojar. Eso sí, vas a tener que despertarla. No te olvides que siempre duerme la siesta hasta las cuatro.

—¿Por qué no la vas despertando por teléfono, antes de que yo llegue? Así ganamos tiempo...

—Sí, ya lo pensé, pero no sé si lo va a escuchar. Rita tiene una rutina para la siesta que no se la cambia nadie; se acuesta a la una y media y duerme hasta las cuatro como un tronco. Todos los días lo mismo. Así que preparate porque vas a tener que echarle la puerta abajo para que te oiga.

Qué lindo panorama. Le mandé un mensaje a Matías para que no me esperara y me puse a leer un rato, mientras se hacía la hora de salir. Por hoy, nada de bici, pensé, porque entre que la iba a buscar a Rita y después la llevaba de regreso a su casa, más alguna ayuda que tendría que darle a mi abuela en la peluquería, se me iría toda la tarde.

A las tres menos veinte salí de casa.

Ni un alma en la calle. El sol, a pleno. A mí me gusta, pero igual camino por el lado de la sombra; no me voy a achicharrar porque sí, nomás. Cuando llegué a Iriarte, me bajé la visera de la gorra casi hasta la nariz; qué solazo. Pensé en Ana Laura, que antes se la pasaba tomando sol en la terraza y ahora no quiere quemarse ni un poquito porque dice que el sol arruga la piel y que ya no está de moda andar toda bronceada. Para ella la moda es fundamental; y se puso peor desde que consiguió ese trabajo de recepcionista en el estudio de arquitectura y se fue a vivir a Montes de Oca. ¿De qué se las da? ¿De mujer independiente? Si es tan independiente, que no le pida plata a la abuela para llegar a fin de mes. Así, cualquiera. No cambia más Ana Laura. Dijo que se iba de casa porque quería independizarse y resulta que aparece casi todos los días a buscar algo: plata, comida, que le cosan un botón (¡no sabe coser un botón!), hasta una torta me pidió que le hiciera para llevar a la oficina el día de su cumpleaños. No tiene vergüenza. Cuando yo me vaya de casa, me las voy a arreglar sola. No pienso pedirle nada a nadie. Voy a vivir de mi trabajo, como hace la abuela.

Siempre que me pongo a pensar en Ana Laura, me distraigo. En vez de doblar en Santa Magdalena, seguí de largo una cuadra más; me di cuenta cuando crucé Salom. Bueno, no era para tanto, después de todo. Doblé hacia California y otra vez apareció Ana Laura en mi cabeza. Ella y su vestido de cumpleaños; el vestido que llevó a casa para que la abuela le subiera el dobladillo y que iba a estrenar en la fiesta que hacía con sus amigos. Sus amigos, sí, porque la abuela y yo no estábamos invitadas.

Rita vive en California entre Salom y Santa Magdalena, así que antes de llegar a la esquina, volví a cruzar Salom, esta vez retrocediendo, y ahí nomás, al dar vuelta la esquina en California, casi me trago a un hombre que caminaba en la misma dirección que yo. ¿Cómo no lo vi cuando cruzó?, porque tenía que haber cruzado, si no, ¿de dónde salió? ¿Brotó de las baldosas?

Él iba despacio y yo, a trancos largos, como siempre. ¿Tan distraída estaba, que no lo vi? Casi me lo llevo puesto. Cuando pasé a su lado, lo reconocí.

–Hola, Bernardo. ¿Vas a la casa de tu tía?

–Anita, qué sorpresa. Sí, voy para allá. ¿Y vos qué hacés en la calle a esta hora, con semejante calor?

–Voy a buscar a Rita para llevarla a la peluquería. Mi abuela le tuvo que adelantar el turno.

–Bueno, vamos juntos, entonces. Yo paso a saludarla, nada más, a ver cómo anda.

La casa de Rita es la tercera, contando desde Salom. Es una casa linda, no muy grande, con un jardín lleno de rosas, que le cuida Rogelio, un vecino que hace trabajos de jardinería en el barrio y es amigo de mi abuela desde que eran chicos. A Rita le gustan mucho las rosas, dice que cuando era vedette sus admiradores le mandaban ramos todos los días. Bernardo tocó el timbre, y de tan fuerte que suena, lo escuchamos desde la vereda. Pasaron unos segundos, y nada; entonces, toqué yo.

–Tenemos que darle tiempo a que se levante –dijo Bernardo.

–Mi abuela la iba a llamar por teléfono, así que a lo mejor ya se levantó.

Nada. Toqué otra vez, pero ahora dejé el dedo sobre el timbre un rato largo. Me pareció que Bernardo se ponía nervioso.

—Pobre, mi tía —dijo—, está muy viejita.

Me quedé mirándolo, tratando de adivinar cuántos años tendría él. ¿Sería como mi abuela...? En eso se oyó la voz de Rita desde adentro:

—¡Ya voy, Anitaaa! Esperame un segundo.

Tardó más de un segundo. Cuando salió, miré la hora en mi celular: las tres y diez.

—Recién hablé con tu abuela... —dijo Rita mientras abría la puerta, pero se interrumpió al ver a su sobrino—. Qué sorpresa, Bernardo, no sabía que estabas acá...

—Venía a saludarte, tía. Me encontré con Anita en la esquina.

Caminamos hasta Iriarte y vimos venir un 70. Bernardo se despidió con un beso rápido a Rita y cruzó casi corriendo.

—¿Vas a tomar el colectivo por unas pocas cuadras? —le gritó Rita. Bernardo vive cerca, en California y Herrera.

—¡Sí, tía! ¡Demasiado calor...! —alcanzó a responder, antes de subir al colectivo.

3 | Mi amigo, mi hermano

Le estaba pasando el último rulero a mi abuela, cuando me llamó Matías. Rita no había parado de hablar desde que salió de su casa. Mientras mi abuela le lavaba la cabeza, había empezado a contar la historia de sus giras por las provincias al comienzo de su carrera, cuando bailaba danzas españolas con una compañía de la Avenida de Mayo, antes de convertirse en primera vedette del Maipo, y ahora, casi a punto de meterse debajo del secador y dedicarse a hojear revistas, concluía su relato con el episodio del director de orquesta que se había enamorado perdidamente de ella y se la quería llevar a vivir a Brasil. Justo en ese momento sonó mi celular. Era Matías para decirme que estaba en la plaza, por si podía salir.

Agarré a Rita de un brazo y la acompañé hasta el secador, le acomodé el casco, teniendo cuidado de no taparle los ojos, le pasé las revistas, dije "hasta luego, salgo un rato" y crucé a la plaza.

Matías es mi amigo del alma. No tengo una "amiga" del alma, como tienen casi todas las chicas de mi edad, pero estoy muy bien así. Con Matías somos como hermanos, nos conocemos desde que nacimos. Cuando éramos chiquitos, Ana Laura nos llevaba a la plaza, y de paso se encontraba con las amigas para charlar; aunque en realidad, era al revés: iba a charlar

con las amigas y de paso nos llevaba a los dos, nos depositaba
en el arenero y ella, de gran
fiesta. Mi abuela me contó
que una vez volvió a casa sin
nosotros; casi la mata, nos había
dejado olvidados en el arenero. La mamá de Matías le
pagaba por horas para que lo cuidara porque trabaja-
ba en la parrilla con el papá; madre santa, qué peligro
esta Ana Laura. La abuela me contó que por las dudas
no la dejaba llevarnos a otra plaza que no fuera esta,
que la tenemos enfrente.

Así que con Matute, siempre juntos. En Jardín no
me soltaba la mano; era muy tímido. Recién se animó
un poco cuando pasamos a segundo. Ahora terminamos sexto y está bastante sociable.

—¡¿Y la bici...?! —me gritó desde la vereda de enfrente.

—Ahora no puedo. En un rato tengo que llevar a Rita
a su casa.

—¿Después de la leche, entonces?

—Dale.

—¿Querés que te acompañe a la casa de Rita?

—Sí, pero sin la bici, así me ayudás a llevarla y hacemos más rápido.

Salimos de la peluquería a las cinco menos cuarto, justo cuando llegaban las hermanas Pastorino, cacareando de alegría al ver a Rita.

–¿Ya te vas? –le dijo una de ellas–. Quedate un ratito, así charlamos. Hace tanto que no nos vemos...

Yo me apuré y la agarré a Rita de un brazo, mientras le hacía señas a Matías para que la agarrara del otro, así nos íbamos enseguida, no fuera cosa que otra vez me perdiera el paseo en bici. Rita no sé si se dio cuenta o qué, pero no hizo nada por quedarse.

–Otro día, chicas –dijo–. Anita y Matías tienen que volver a tomar la leche y no quiero que se retrasen.

Tardamos casi media hora en llegar. Yo había pensado que llevándola entre los dos íbamos a hacer más rápido, pero no, es lo mismo que cuando la llevo yo sola. Y hasta un poco más aburrido, porque cuando vamos solas, Rita me cuenta de sus aventuras del pasado;

ahora, en cambio, nos hacía preguntas sobre el colegio y nuestros compañeros, y qué materias nos gustaban más y esas cosas.

Cuando llegamos a la casa, Rita nos hizo pasar porque dijo que tenía unos bombones muy ricos y nos quería convidar. La esperamos en el living, mientras ella iba al dormitorio a buscar la caja. No hicimos más que sentarnos en un sillón, cuando oímos un grito desgarrador. Era Rita. Saltamos como resortes y corrimos al dormitorio.

—¡Mi anillo de esmeraldas! ¡Mi anillo de esmeraldas! —repetía, llorosa—. ¡No está! ¡No lo encuentro!

—¿Dónde lo dejaste? —le pregunté.

—En el mismo lugar de siempre. Sobre la cómoda. ¡Y no está!

Matías me miraba a mí como pidiendo explicaciones, así que se las di.

—Rita tiene un anillo de esmeraldas muy valioso, y lo usa solamente dentro de la casa. Cada vez que tiene que salir, se lo saca...

—Y para dormir, también —me interrumpió Rita, con la voz temblorosa—. A veces se me hinchan los dedos... Es por la circulación, ¿sabés...? —terminó, dirigiéndose a Matías, que se había quedado mudo y con los ojos redondos como dos pomelos.

—A lo mejor lo dejaste en otro lado y no te acordás –dije, mirando hacia la cama y las mesitas de luz.

—No, nunca, jamás de los jamases dejé mi anillo en otro sitio que no fuera la cómoda –me contestó Rita, muy segura.

—A ver, vamos a reconstruir los hechos –dije, llevándola suavemente hasta la cama para que se sentara–. Empecemos desde el momento en que te preparaste para dormir la siesta. A ver, pensá bien, paso a paso en todo lo que hiciste.

Matías, que me conoce muy bien, se había sentado en la cama junto a Rita y paseaba la mirada de una a la otra, muy serio, esperando los resultados de mi interrogatorio. Yo corrí una silla que estaba junto a la cómoda y me senté frente a ellos, con las piernas cruzadas, los brazos sobre las rodillas y el mentón apoyado en una mano, dispuesta a que mis "pequeñas células grises", como dice Hércules Poirot, funcionaran a pleno.

—Bueno... –empezó Rita, con la mirada perdida en algún punto entre mi cabeza y el techo–, cuando se fue Angelina...

—¿Qué Angelina? –preguntó Matías.

—La señora que viene a limpiar y a cocinar todas las mañanas –respondí yo.

—La esposa de Rogelio, el jardinero —agregó Rita.

—Ah, ya sé. Los conozco a los dos. A veces van los domingos a comer a la parrilla.

Lo miré a Matías, muy seria y con las cejas bien levantadas, y se calló la boca. Le hice un gesto a Rita con la cabeza para que siguiera hablando.

—Como les decía, Angelina se fue a la una, como siempre, y apagué el televisor. Siempre miro el noticiero mientras al-

muerzo. Después fui al baño y me lavé los dientes y...
Nada más... Es decir, entré al dormitorio, me saqué el
anillo, lo puse sobre la cómoda... –a esta altura a Rita
le temblaba la voz–... Y me acosté. Es todo.

–Muy bien –dije–. ¿Y después?

–Me desperté cuando sonó el teléfono. Era tu
abuela. Me dijo que ya me había llamado una vez,
pero yo recién me desperté con el segundo llamado.
Ahí nomás me levanté y enseguida oí el timbre de
la puerta y te grité que ya salía. Tu abuela me
dijo que habías venido a buscarme, así que
sabía que eras vos.

El teléfono estaba sobre una de las mesitas de luz. Me pregunté cómo podía ser que teniéndolo ahí nomás, Rita no lo escuchara. Me adivinó el pensamiento.

—No vayan a creer que estoy sorda, ¿eh? Tengo el sueño muy pesado, por eso no me despierto enseguida. Si alguien me llama cuando estoy durmiendo, oigo el timbrazo, pero en vez de despertarme, sueño que suena un teléfono. ¿Se dan cuenta? Ya me pasó muchas veces. Y si el que llama, insiste, al final me despierto. Es lo que hizo tu abuela.

—Es lo que me pasa a mí cuando mi mamá me quiere despertar para ir al colegio, me parece que estoy soñando y no me levanto.

Otra mirada con la cejas en alto y Matías cerró el pico.

—Entonces —dije, recapitulando—, atendiste el teléfono, te levantaste, oíste el timbre de calle, te acercaste a la puerta y me gritaste que ya salías. Muy bien. Y entre que dijiste que salías, hasta que realmente saliste, ¿qué pasó?

—Bueno... Volví al dormitorio, me puse la ropa que ya tenía lista sobre la silla, fui al baño y salí. Nada más.

—No tocaste el anillo para nada, ¿ni siquiera lo miraste?

—No. No me lo iba a poner, ¿para qué lo iba a mirar?

—No sé, a veces uno mira las cosas y después se acuerda de que las vio, nada más.

—No, estoy segura de que no miré nada. Me cambié rápido porque vos me estabas esperando y salí.

—¿Cómo es el anillo? —preguntó Matías.

—Bellísimo. Es el anillo más hermoso que te puedas imaginar. Tiene una esmeralda enorme que vale una fortuna, por eso no me lo pongo para salir. Me lo regaló uno de mis novios, hace muchos años, cuando yo era joven y hermosa, y bailaba y cantaba en el teatro...

Los ojos de Rita brillaban de lágrimas, pero todavía no había soltado ninguna. Tenía la vista clavada en la cómoda, seguramente pensaba en aquel novio millonario y generoso que le había regalado el anillo tanto tiempo atrás.

—Muchas veces me dijeron que lo vendiera, que podía sacar un montón de plata por esa esmeralda, pero yo no quiero. ¿Para qué lo voy a vender, si con lo que tengo me alcanza? Yo vivo bien, tengo mi casa, mis ahorros de toda la vida... Y ahora desapareció...

—Las cosas no desaparecen, Rita —dije, poniéndome de pie—. Aunque estés segura de que lo dejaste en la cómoda, puede estar en otro lado. Empecemos a buscar. Si no lo encontramos, hay que llamar a la policía.

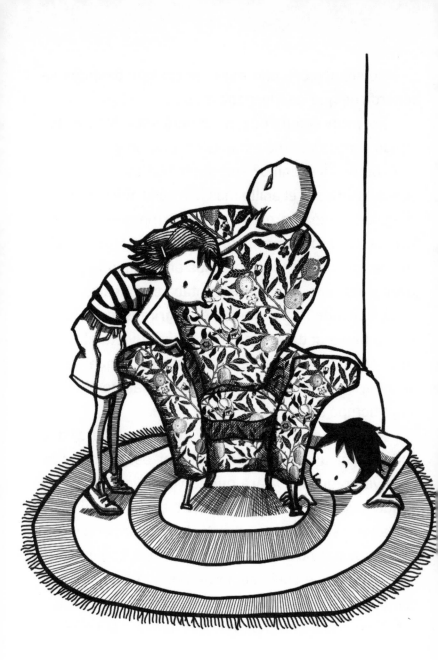

5 | Las cosas no desaparecen

Lo primero que hice fue ponerme de rodillas y revisar debajo de la cómoda. Matías hizo lo mismo debajo de la cama. Revisamos el piso de todo el dormitorio, mientras Rita abría y cerraba cajones, puertas, cajas y cajitas. Nada. Pasamos al living: lo mismo, con idéntico resultado. Comedor, cocina, baño, hasta en el patio miramos. Del anillo, ni noticias.

—Bueno, Rita, creo que tenés que llamar a la policía. Ya buscamos en toda la casa.

—No me van a llevar el apunte, Anita. Van a pensar que soy una vieja gagá, que me olvidé el anillo en cualquier parte y ahora no lo encuentro...

—¡Pero si no dejamos un solo lugar sin revisar! —protesté—. Alguien se lo llevó. ¿Por qué no lo llamás a Bernardo para que te dé una mano con la policía? —se me ocurrió de golpe.

Parece que mi idea fue muy buena, porque Rita corrió al teléfono.

—Enseguida viene —dijo, minutos después—. Dice que él se encarga de todo, que me quede tranquila.

Bernardo llegó enseguida y, después de hacernos algunas preguntas, llamó a la policía.

—Bueno, todo arreglado —dijo—. Dentro de diez minutos están acá.

—¿Entonces podemos irnos? —preguntó Matías.

—No —le dije, tajante—, mejor nos quedamos. Somos testigos.

—¿Testigos de qué?

—¿Cómo de qué, Matute? ¿No te das cuenta? Somos testigos de que el anillo no estaba. Se lo tenemos que decir a la policía.

Matías no dijo nada, pero me miró mal. Conozco sus miradas. En ese momento, Rita tuvo una muy buena idea: se acordó de que nos había prometido bombones y fue a buscarlos. Nos quedamos los dos como al principio, cuando recién habíamos llegado, sentados en el sillón, esperando los bombones. Lo miré a Matías de reojo: estaba preocupado.

—Y si... —dijo en voz muy baja—. Y si... ¿si la policía piensa que el anillo lo robamos nosotros?

Primero vinieron dos policías de uniforme en un patrullero que hicieron un montón de preguntas, recorrieron la casa mirando las cerraduras y subieron a la terraza. Pero después, cuando le pidieron a Rita que hiciera una descripción del anillo y ella dijo: "un momentito, ya vuelvo", y fue al dormitorio y apareció trayendo un papel que le entregó a uno de los policías —pero que leyeron los dos juntos, cabeza con cabeza— uno de ellos, el que había recibido el papel, dijo:

—Esto es muy serio. Tengo que llamar al comisario. Permiso —y se metió en la cocina para hablar tranquilo.

Rita, Bernardo, Matías y yo nos quedamos sentados donde estábamos, es decir, en las sillas del comedor, alrededor de la mesa. El otro policía, parado a mitad de camino

entre la cocina y el comedor, nos miraba como si fuéramos todos sospechosos.

—¿Qué dice ese papel, tía? —murmuró, apenas, Bernardo.

—Es la garantía del anillo. Cuando Víctor me lo regaló, me dijo que la guardara porque era muy importante. Y yo le hice caso.

–¿Víctor era el novio? –me preguntó Matías.

–Sí –se apuró Rita a responder–. Estuvimos a punto de casarnos, pero a último momento yo me arrepentí –y dio un suspiro largo.

–¿Por qué? –quise saber.

–Él tenía mucho dinero, era de una familia muy distinguida, muy tradicional; si nos hubiéramos casado, nos habrían hecho la vida imposible a los dos. Y yo era muy libre, no quería ataduras de ningún tipo; además me gustaba mi trabajo, y si me casaba con él, seguramente me iban a obligar a dejarlo. No, no quise saber nada con eso, así que rompimos el compromiso. Yo intenté devolverle el anillo, pero él no me lo permitió.

El policía que estaba en la cocina volvió al comedor. El papel de la garantía seguía en su mano.

–Enseguida viene el inspector Bordenave –dijo, mientras se paraba a la cabecera de la mesa–. De aquí en adelante, él se encargará del asunto.

Yo no aguantaba más la curiosidad por saber qué decía la garantía, así que me animé y le pregunté a Rita si la podía leer.

–Claro –dijo ella, y estirando un brazo en dirección al policía, siguió–: ¿Me permite...?

Rita tomó el papel y me lo dio. Matías se levantó de un salto de su silla y se paró detrás de mí, y a medida que iba leyendo, me largaba en la cara el aire que soplaba con cada exclamación: ohh, ahh, uhh...

–¡Buenísimo! –dijo, al fin, emocionado–. No sabía que las esmeraldas tenían nombre...

–¿Qué dice este chico? –preguntó Bernardo, mirando a su tía.

Entonces me puse a leer en voz alta:

–"La esmeralda Maya fue extraída de las canteras colombianas en el año 1932. El tamaño de la misma no excede al corriente en este tipo de piedras. Su característica más importante reside en la intensidad del color y del brillo; el tono de verde, más oscuro que en el común de las esmeraldas, combinado con el fulgor que destella desde el interior mismo de la piedra, hacen de la esmeralda Maya una pieza única, altamente estimada por su originalidad..."

–¡Dios mío! –me interrumpió Bernardo–. ¿Cómo tenías algo tan valioso en tu casa? –dijo, dirigiéndose a la pobre Rita, que lo miraba como una niña asustada.

–Nunca oculté que tenía un anillo de esmeraldas; toda la familia lo sabe. Y nadie me dijo que no debía tenerlo en casa... –sollozó Rita.

—Sí, pero tampoco sabíamos que era tan valioso. Yo mismo pensaba que a lo mejor era falso, no sé, una fantasía muy elaborada, nada más.

—¡Falso, por favor! —saltó Rita, enojada—. Yo siempre supe que no era falso. Ahí tenés la prueba —dijo, señalando el papel que yo todavía tenía entre las manos—. Y la esmeralda Maya —siguió— es la que está en el centro del anillo, pero a su alrededor hay otras esmeraldas, chiquitas, combinadas con brillantes, que forman grupitos de flores; todas las piedras engarzadas en oro blanco... Mi anillo... Mi anillo... —y se largó a llorar.

Bernardo se levantó a consolarla y en ese momento sonó el timbre de la calle.

—Es el inspector Bordenave —dijo el policía que había hablado por teléfono en la cocina—. Yo le abro.

Los cuatro que estábamos sentados alrededor de la mesa seguimos en el mismo lugar, pero ahora el inspector Bordenave ocupaba la cabecera. Los otros dos policías seguían de pie, escoltando al inspector, uno a cada lado de su silla. No sé por qué yo me había imaginado que el inspector sería un hombre tirando a viejo, más bien bajo, regordete y pelado. Pero nada que ver: era un hombre joven, alto, delgado y con pelo; y además, elegante. No llevaba uniforme, lo cual no me extrañó porque en todas las series policiales que veo los policías que desempeñan cargos altos no lo usan;

vestía un traje negro, camisa blanca y corbata con rayitas rojas. Y usaba perfume. Una fragancia suave y a la vez intensa se esparció en el aire apenas se sentó a la mesa.

—Bueno, bueno... —dijo, sin levantar la vista del papel con la garantía, que había estado leyendo—. Según los oficiales aquí presentes, ninguna cerradura del domicilio fue violada. O sea que... el ladrón entró con llave propia o bien alguien le abrió la puerta.

—Ninguna de las dos cosas, inspector —dijo Rita—. Yo no le abrí a nadie, y tampoco nadie tiene la llave de mi casa.

—Disculpemé, señora, pero como se dará cuenta, de algún modo habrá entrado el ladrón, ¿no le parece? Ninguna puerta fue forzada, ni la del jardín ni la de entrada, ni tampoco la de la cocina que da al patio. Si alguien hubiera entrado por la terraza, tendría que haber abierto la puerta de la cocina, que estaba cerrada por dentro, no sólo con llave, sino también con pasador. Por consiguiente, el ladrón entró por el frente, y la única posibilidad es con una llave; con dos, mejor dicho: la de la verja de hierro y la de esa puerta —concluyó, señalando en dirección al living, donde estaba la puerta de entrada.

—Ppp... perdón, tía... —dijo Bernardo, inclinándose

hacia Rita y tocándole suavemente el hombro—, pero me parece que estás un poco confundida. Hay alguien que sí tiene las llaves de esta casa...

Rita se irguió en la silla y miró a su sobrino con cara de espanto.

—¿No querrás insinuar que...? —dijo, dejando la frase sin terminar.

Bernardo apartó la mano del hombro de su tía y bajó la mirada.

—No sé qué pensar, tía. Perdoname.

—Señora —dijo, firme, el inspector—. Esto es muy grave. Por favor, dígame si realmente hay alguna persona que tenga las llaves. Además de usted, por supuesto.

Rita miró al inspector, temerosa. Me di cuenta de que le temblaban los labios.

—Sí —dijo, finalmente—. Pero se trata de una persona de la que jamás, jamás —remarcó— voy a desconfiar.

—Diga quién es, por favor —dijo el inspector, ahora en un tono más suave.

—Es Angelina, una excelente persona que viene todas las mañanas a limpiar y a prepararme la comida. Por ella pongo las manos en el fuego, inspector.

—¿Está segura de que nadie más tiene las llaves de esta casa?

—Sí, estoy segura.

—¿Y su familia?

—Mi única familia son mis sobrinos. Bernardo —lo señaló con un movimiento de cabeza— y sus dos hermanas. Ninguno tiene las llaves de mi casa.

A continuación, el inspector nos miró a Matías y a mí. Se hizo un silencio raro. Lo miré a Matías medio de reojo y vi que estaba pálido y rígido como una estatua. Al fin, habló Rita:

—Esta tarde fui a la peluquería y los chicos me acompañaron a casa. Les dije que entraran porque quería convidarlos con unos bombones. Ellos se sentaron en el sillón del living y yo fui al dormitorio, donde tenía la caja. Ahí descubrí que el anillo no estaba.

—Cuénteme todo lo que hizo hoy, desde que se levantó hasta que volvió de la peluquería.

Rita contó todo con lujo de detalles. Dijo que se había puesto el anillo a la mañana, al levantarse, como todos los días, antes de que llegara Angelina, y que se lo había sacado después de almorzar, mientras Angelina lavaba los platos. Después se había acostado a dormir la siesta.

—¿Angelina se fue después de que usted se acostó? —preguntó el inspector.

—Sí. Siempre hacemos así: yo me acuesto, ella termina de lavar los platos, me saluda desde la puerta y se va.

Después contó que mi abuela la llamó por teléfono para avisarle del cambio de horario y que yo la venía a buscar, y que cuando abrió la puerta vio que también estaba Bernardo.

–¿Usted visita con frecuencia a su tía? –preguntó el inspector, mirando fijamente a Bernardo.

–Sí, no todos los días, pero dos o tres veces por semana me doy una vuelta para ver cómo anda –terminó la frase mirando cariñosamente a Rita.

–¿Y por qué vino con la nena? –le preguntó, señalándome a mí con un dedo.

–No, no vine con ella –respondió Bernardo con una risita, como si resultara gracioso que alguien pudiera ir conmigo a algún lugar–. Nos encontramos en la esquina. Yo venía de mi casa y Anita, de la peluquería.

El inspector tomaba notas en una libreta y cada tanto se quedaba pensativo, mirando lo que había escrito.

–Entonces... –dijo, sin levantar la cabeza de la libreta–, quedamos en que aparte de usted –y ahora la miró a Rita– y la señora Angelina, que viene todas las mañanas, nadie más tiene las llaves de esta casa. ¿No es así?

–Sí, pero ya le dije que pongo las manos en...

–Sí, sí, ya lo dijo, pero... –la interrumpió el inspector.

Ahora el que interrumpía era Bernardo:

–Si me disculpa, inspector, hay alguien más que, si bien no tiene las llaves... bueno, podría haberlas tomado...

Bernardo cerró la boca y miró a Rita como pidiendo perdón.

–Me refiero a Rogelio, tía. Él le pudo haber sacado las llaves a Angelina.

–No. De ninguna manera. Ni Angelina ni Rogelio. Confío en los dos –dijo Rita, dando golpecitos en la mesa para remarcar sus palabras. Se notaba que, además de triste, estaba enojada.

–¿Me quieren explicar quién es Rogelio, por favor? –me pareció que el inspector estaba perdiendo la paciencia.

–Es el marido de Angelina –dijo Bernardo–. Es jardinero. Él se encarga de las rosas de mi tía.

–Ajá, bueno... –anotó algo más en la libreta, dejó la lapicera a un costado, apoyó los codos sobre la mesa, juntó las manos, las puso debajo del mentón, suspiró y, mirándonos a Matías y a mí, dijo–: Pueden irse, chicos. Ahora seguiremos hablando los mayores. Gracias.

Cuando llegamos a la peluquería, mi abuela rociaba con spray la cabeza de una de las hermanas Pastorino. La otra, parada ante un espejo de cuerpo entero, se miraba el perfil mientras sacudía las manos para que se le secara el esmalte de las uñas.

—Decime la verdad, Ana María —dijo, sin apartar la vista del espejo—, ¿se nota que adelgacé dos kilos?

Mi abuela dejó el tubo de spray junto a la canastita de los ruleros, la miró muy seria, de arriba abajo, y respondió:

—Por supuesto que se nota, Susi. No tenés nada de panza. Estás espléndida.

A veces no sé si mi abuela miente descaradamente o si con los años se le fue modificando la percepción de la realidad; desde luego, no dije nada.

Lo miré a Matías con cara de "callate la boca", no por la silueta desbordada de Susi y la mentira de mi abuela, sino por lo del anillo de Rita y, por suerte, me entendió. Las hermanas Pastorino son el chisme personificado, y por nada del mundo les iba a dar el gusto de andar hablando mal de Angelina y Rogelio en todo el barrio. Así que, dije: "Hola, qué tal. Ya volvimos" y enfilé para adentro, con Matías siguiéndome los pasos.

Estábamos tomando la leche en la cocina, cuando apareció mi abuela.

—A ver si tengo tiempo de cebarme unos mates... En un ratito llega una clienta.

—A que no sabés —dije yo.

—A Rita le robaron el anillo de esmeraldas —siguió Matías.

La abuela no lo podía creer. Conocía la

historia del anillo, pero no se imaginaba que fuera tan valioso. Además, estaba segura, segurísima, de que Angelina y Rogelio no tenían nada que ver con el robo.

–Pensar que la pobre Rita no se lo ponía para salir por temor a que se lo robaran, y se lo vienen a robar en la misma casa... ¿Y cuando se levantó de la siesta, el anillo estaba sobre la cómoda?

La pregunta de mi abuela me removió algo en la cabeza. Me quedé pensando y Matías se apuró a responder.

–Dijo que no se había fijado.

En eso, sonó el timbre de la peluquería.

–Llegó mi clienta –anunció la abuela–. Anita, voy a hacer una tarta de cebolla y queso para la cena. Ana Laura viene a comer. ¿Me das una mano con el relleno, así cuando termino en la peluquería hago la masa y listo?

El timbre volvió a sonar y mi abuela salió de la cocina sin esperar mi respuesta.

–¿Te das cuenta, Matu? Siempre lo mismo. A mí no me molesta cocinar, al contrario, me gusta. Lo que me pone loca es que seguimos atendiendo a Ana Laura como si fuera una princesa, y mi abuela y yo, las sirvientas. Hace no sé cuánto que venía hinchando con su famosa independencia, y ahora que vive sola, come acá, le pide plata a la abuela para llegar a fin de mes,

trae la ropa para lavar y para coser, ¿eso es ser independiente?

Empecé a pelar cebollas. Matías no decía nada. Estaba pensativo.

–¿Vas a seguir mudo?

–Estaba pensando en el inspector... ¿Por qué nos
echó?

–Lo dijo claramente, Matu: "ahora seguimos los mayores" o algo así. Nos sacó del medio, ¿te das cuenta?

–¿Y ahora qué va a pasar? ¿Se van a llevar presos
a Rogelio y Angelina?

–No. Primero tienen que conseguir pruebas. Ahora
empieza la investigación. Si los dos son sospechosos,
hay que averiguar dónde estaban en el momento del
robo, hay que ver si tienen una coartada o... –me inte-
rrumpí, con una cebolla a medio pelar en una mano
y el cuchillo en la otra, porque algo, igual que un rato
antes, empezó a darme vueltas en la cabeza. Algo que
no sabía qué era, pero me molestaba.

–Eso es fácil –dijo Matías, y me volvió a la realidad
del cuchillo y la cebolla, así que seguí pelando–, porque
si piensan que fue Angelina, pueden decir que lo robó
antes de salir de la casa. Saludó a Rita como todos los

días, hizo de cuenta que se iba, pero se quedó escondida esperando a que Rita se durmiera, entonces entró al dormitorio, agarró el anillo y se fue.

–Pero Angelina no puede ser tan tonta, tendría que haber pensado que iban a sospechar de ella. No sabía si Rita cuando se levantara iba a mirar el anillo o no. Si miraba y no lo veía, ¿de quién iba a sospechar?

–Entonces puede ser que lo haya robado mientras Rita estaba en la peluquería. Ella o Rogelio.

–¿Vos creés eso?

–No. Pero alguien fue...

–Sí, ya sé, eso es lo que va a pensar la policía. Alguien fue, y lo más fácil es pensar que fue Angelina. O Rogelio, que vendría a ser lo mismo.

De repente sentí la necesidad de anotar algunas cosas. Siempre lo hago. Es una manera de poner un poco de orden en mi cabeza.

–Traéme el cuaderno de notas, Matu. Está en mi mesita de luz –dije, mientras terminaba de pelar la última cebolla. Me lavé las manos y busqué una birome en el segundo cajón de la mesada.

Caso del anillo de esmeraldas, anoté.

Sospechosos: Angelina y Rogelio.

Anita Demare
Caso del anillo de esmeraldas
Sospechosos: Angelina y Rogelio
Hora Robo: desconocida para la policía
después del almuerzo
(en ese caso lo robó Angelina)
Para A.D. la hora está por verificarse.
Comentario de M.E acerca de la importancia de verificar la hora del robo.
Matías Estévez

Hora del robo: desconocida. Para la policía: después del almuerzo, cuando Rita se durmió (en este caso, lo robó Angelina). Para A.D.: la hora del robo está por verificarse.

A.D. soy yo: Anita Demare.

–¿Y se puede saber cómo vas a verificar la hora del robo? –preguntó Matías, molesto porque no lo incluí en las anotaciones.

Entonces puse:

Comentario de M.E. acerca de la importancia de verificar la hora del robo.

M.E.: Matías Estévez.

–Y sí –dijo Matías, emocionado por la inclusión–, la hora del robo es fundamental.

A las nueve en punto, la tarta ya estaba lista; la mesa, puesta y mi abuela y yo, esperando a la princesa.

A las nueve y veinte llegó lady Ana Laura en taxi, cargando una bolsa de ropa sucia y otra con un táper vacío.

—Mmm... tarta de cebolla y queso, con lo que me gusta —dijo, apenas puso un pie en la cocina—. Espero que sobre, miren que traje el táper, ¿eh?

La cena transcurrió tranquila, es decir, Ana Laura contaba acerca de sus experiencias como recepcionista del estudio de arquitectura, de sus nuevos vecinos de edificio, de sus amigos y compañeros de trabajo, del curso de inglés avanzado que estaba estudiando, del curso de fotografía en el que quería anotarse el mes próximo y no sé qué más, todo, por supuesto, referido única y exclusivamente a su persona. Mi abuela y yo escuchábamos. Cuando terminamos de comer, agarró la bolsa de ropa sucia y fue hacia el lavadero. La seguí.

—Anita, dejo la ropa acá, ¿sabés? ¿Le das una lavadita, mañana? —dijo, mientras apoyaba la bolsa sobre el lavarropas.

—Si no pensás lavarla vos, más vale que te la lleves. Hay un montón de lavaderos cerca de tu casa.

—Yo trabajo, Anita y vos estás de vacaciones.

—Estoy de vacaciones, pero ayudo a la abuela, cosa que vos nunca hiciste. Acá trabajamos todo el día, para que sepas, y no le pedimos plata a nadie —dije, remarcando la última frase.

—Lo que le pido a la abuela, se lo devuelvo cuando cobro, para que sepas.

—Claro, se lo devolvés y a la semana le estás pidiendo de nuevo porque no te alcanza. ¿Cómo te va a alcanzar si gastás por anticipado y más de lo que ganás?

—Anita, cumplí veintiocho años y sé muy bien lo que hago. Y vos sos una mocosa de doce que se mete donde no la llaman.

—Cumpliste veintiocho, pero no creciste, Ana Laura. Te fuiste a vivir sola y seguís dependiendo de la abuela. ¿No te das cuenta?

–¡Maa...! ¡Mirá lo que me dice Anita! –dijo, y salió del lavadero.

Volví a la cocina con intenciones de ahorcarla, pero mi abuela no me dejó.

–Anita, ¿por qué no le tenés un poco de paciencia a tu mamá? –me dijo.

Así no vale. Si ella la consiente, ¿yo qué puedo hacer?

–Les aviso a las dos que la ropa yo no la lavo –dije, y me fui a mi habitación.

Mejor ocupar mi cabeza en otras cosas. Me tiré en la cama con el cuaderno de notas. Me daba una rabia pensar que la abuela iba a terminar lavándole la ropa... Ana Laura no cambia más. Cuando se mudó, la abuela me dijo que estaba muy bien que se mudara, porque así iba a aprender a ser independiente. Le dije que tenía mis dudas, y ella se rió. "Dale tiempo,

no seas tan severa con tu mamá", me dijo. ¿Severa yo? No, lo que pasa es que digo las cosas como son, y eso a mucha gente no le gusta. Pero basta de pensar en Ana Laura. Abrí el cuaderno y traté de concentrarme en el caso del anillo de esmeraldas. Me puse a pensar en todo lo que había pasado desde que salí a buscar a Rita y lo fui anotando.

Hora de salida rumbo a la casa de Rita: antes de las 15 hs.

Llegada a la casa de Rita: también antes de las 15 hs.

No sé cuánto pude haber tardado en llegar, pero supuse que entre ocho y diez minutos, lo que se tarda en caminar unas seis o siete cuadras.

Nota: antes de llegar a la casa de Rita, me encuentro con Bernardo, que iba a visitar a su tía. Rita abre la puerta: poco después de las 15 hs.

Caminamos los tres hacia Iriarte.

Bernardo toma el 70 para volver a su casa.

Rita y yo llegamos a la peluquería: alrededor de las 15,30 hs.

Rita, Matías y yo salimos de la peluquería: alrededor de las 17 hs.

Llegamos a la casa de Rita: antes de las 17,30 hs.

Entramos a la casa. Rita ofrece bombones. Matías y yo esperamos en el living. Rita va a su habitación y descubre que no está el anillo.

Lo buscamos los tres. No está.

Rita llama a Bernardo.

Llega Bernardo y llama a la policía.

Llegan dos policías. Revisan las puertas: ninguna fue forzada.

Rita trae la garantía del anillo: importancia de la esmeralda Maya.

Aparece el inspector Bordenave: nos interroga a todos.

Surgen dos sospechosos: Angelina y Rogelio.

Motivo de la sospecha: las llaves en poder de Angelina.

Dejé de escribir y me quedé pensando en eso que me rondaba la cabeza, a ver si sacaba algo en limpio. Era una sensación molesta que ya había tenido antes, cuando le contábamos a mi abuela sobre el robo, y después, mientras pelaba las cebollas para la tarta; pero no había nada que hacerle, se me escapaba. Lo mejor en estos casos era pensar en otra cosa, dejar pasar el tiempo y esperar a que la sensación o lo que fuera tomara cuerpo y se dejara pescar.

Tiempo y paciencia. Lo mismo que me aconsejaba la abuela con Ana Laura. Pobre de mí.

Los sábados son días de mucho trabajo en una peluquería. Yo le doy una mano a mi abuela pasándole los ruleros, barriendo los pelos cuando corta, cebando mate y cosas así, pero lo más importante de mi trabajo de los sábados consiste en ordenar mi habitación, poner el lavarropas y hacer mandados. Por eso cuando me levanté, fui derecho al lavadero. No para empezar a lavar, sino porque quería sacar la bolsa de Ana Laura y dejarla en su dormitorio, en su ex dormitorio, mejor dicho. Me levanté pensando en eso. ¿Se fue de casa? Muy bien, que se vaya del todo, entonces. Anita, la sirvienta, se jubiló.

Lo primero que noté cuando abrí la puerta del lavadero fue que la bolsa no estaba. Claro, pensé, la abuela lavó todo para evitar peleas. Típico, siempre hace lo mismo. "No se peleen, chicas, no se peleen..."

Volví a la cocina y me preparé el desayuno. Me senté a la mesa con el cuaderno de notas. Quería repasar todo y ver si me acordaba de algo nuevo. En eso estaba, cuando mi abuela asomó la cabeza por la puerta.

—¿Qué tal, Anita? Quería decirte que ayer Ana Laura lavó toda su ropa y la colgó en la terraza. ¿Viste que está cambiando? Yo te dije que vivir sola le iba a venir bien. Vuelvo a la peluquería, amorcito. Te dejé la lista para el chino sobre el microondas —me tiró un beso y así como llegó, se fue.

A mí no me engaña. La ropa la lavó y la tendió ella. Seguro que hasta se levantó más temprano y todo. Decidí dejar las cosas ahí para no amargarme, y volví al cuaderno. Leí mis notas varias veces, pero no se me ocurrió nada nuevo. Terminé el desayuno, puse sábanas y toallas a lavar, agarré la lista del chino, metí el cuaderno en el changuito, por si se me ocurría algo en el camino, y salí por la puerta del pasillo para evitar la peluquería: no estaba de humor para bancarme a nadie, ni a mi abuela ni a sus clientas.

Iba llegando a la esquina, cuando escuché el grito de Matías.

–¡Anitaaa! ¡Esperameee..!

Estaba con la bici y tenía cara de "a que no sabés lo que pasó..."

–A que no sabés... Angelina vino a mi casa llorando. Le contó a mi mamá que casi se la llevan presa por lo del anillo. Rogelio se fue el jueves a Bahía Blanca porque era el cumpleaños de la madre y llega esta noche, así que la única sospechosa del robo es ella. No se la llevaron por falta de pruebas, eso dijo, pero en cuanto encuentren una, chau, a la cárcel... Pobre Angelina, como lloraba...

Matías dio un suspiro largo y se quedó pensativo, con los brazos apoyados en el manubrio de la bicicleta. Yo miré el changuito y decidí cambiar los planes, al menos por un rato.

–Vamos a la plaza a repasar los hechos –dije–. Hay algo que me está molestando desde ayer y no sé qué es.

Cruzamos y nos sentamos en un banco lo más alejado posible de la peluquería. Lo que menos iba a hacer mi abuela era asomarse a la ventana y mirar hacia la plaza, con todo el trabajo que tenía, pero nunca falta una clienta chismosa. "Ay, Ana María, mirá a tu nieta con el changuito, sentada en la plaza, dele charlar con el chico de la parrilla". Por favor. Como si yo no supiera qué tengo que hacer. Si mi trabajo es hacer las compras, las hago y listo, aunque me siente un rato a charlar con Matías. Las viejas son terribles, siempre fijándose en lo que hacen los demás.

—Angelina le dijo a mi mamá que cuando salió de la casa de Rita, cruzó al almacén que está enfrente y que se apuró antes de que el almacenero cerrara porque tenía que comprar yerba, que no le quedaba ni para un mate. Así que saludó a Rita y salió. Y el almacenero es testigo.

—Muy bien. Angelina tiene un testigo que la vio... alrededor de la una, una y cuarto, digamos. Eso probaría que no se quedó escondida en la casa, esperando a que Rita se durmiera para robar el anillo. El almacenero debe cerrar a eso de la una y media, más o menos, por eso Angelina se apuró.

—Y también tiene un testigo que la vio entrar a su casa con el paquete de yerba, un rato después.

—Eso probaría que no volvió a la casa de Rita para robar el anillo. Bien, bien.

Anoté estos datos en el cuaderno y me quedé pensando en la importancia de la hora. Si Angelina no hubiera ido a comprar yerba, jamás habría tenido un testigo tan valioso, y si hubiera salido más tarde, tampoco, ni el almacenero ni nadie, ya que a la hora de la siesta no hay un alma en la calle. Otra vez la sensación de que algo importante se me estaba pasando por alto.

—Entonces el anillo lo robaron mientras Rita estaba en la peluquería –dijo Matías–. Es la única manera posible, ¿no?

—Parecería que sí...

—Pero entonces Angelina seguiría siendo sospechosa. La policía puede decir que volvió a robar el anillo después de las tres, cuando no había nadie.

—No, no. Estás pasando algo por alto: Angelina no sabía que mi abuela le había cambiado el horario a Rita. No te olvides de que todos los viernes viene a la peluquería a las cinco de la tarde. Este viernes fue una excepción.

Nos quedamos un rato sin hablar, pensando.

—¿A qué hora vuelve a abrir el almacenero? –se me ocurrió de golpe.

—Qué sé yo... ¿A las cinco...? Mi papá abre después de las siete.

—Es distinto. Tu papá cierra a eso de las tres, cuando ya no hay clientes, y abre cuando empieza a caer la gente que va a buscar comida para la cena o a comer un choripán. Pero un almacén es distinto. Pensá, por ejemplo, si alguien quiere ir a comprar galletitas para la merienda. ¿Va a ir después de la cinco? No, un almacén tiene que abrir antes de las cuatro de la tarde, te diría. Más con la competencia de los chinos o los supermercados grandes, que están abiertos todo el día. Seguro que el almacenero para un rato para comer y descansar un poco, y a eso de las tres ya abre de nuevo.

—¿Me querés decir qué tiene que ver todo esto con el robo del anillo?

Me quedé pensando. Quería explicarlo bien, no sólo para que Matías lo entendiera, sino para terminar de entenderlo yo misma. Me pasa que a veces se me ocurre algo, pero a medias, digamos, y el solo hecho de hablarlo con alguien me despeja la cabeza y me permite ver otras cosas que se me habían pasado por alto.

—Quiero decir que al que robó el anillo no le convenía entrar a la casa de Rita mientras el almacén estaba abierto...

—Claro —se apuró Matías—, porque el almacenero podía verlo...

—Exactamente. O sea que el ladrón entró mientras el almacén estaba cerrado.

—Y tiene que haber sido entre la una y media, más o menos y...

—Las tres y media —dije, segura, no sé por qué, pero segura—. Es decir, poco después de que Rita salió de la casa. Yo no me fijé si el almacén estaba abierto o no, lo que sé es que todavía no eran las tres y media; mi abuela nos esperaba a esa hora y me acuerdo de que en un momento miré el reloj de mi celular y pensé que estábamos bien de tiempo.

—¿Entonces el robo fue mientras Rita dormía?

—Sí, entre el momento en que salió Angelina y llegamos nosotros.

—¿Nosotros...?

Matías dijo: "¿Nosotros?", y yo sentí que un caminito de luz se abría delante de mí. Todo lo que tenía que hacer era dar un salto y caminar por ahí. Con Matías, claro. Volví al cuaderno, esta vez para dibujar un plano.

—¿Por qué dijiste "nosotros", si yo no te acompañé a buscar a Rita...?

—No me refería a vos, sino a Bernardo. ¿No te acordás que nos encontramos en la calle?

—¿Y para qué son esos cuadraditos? —preguntó ahora, con la cabeza casi hundida en mi cuaderno.

—Quiero dibujar el recorrido que hice ayer para ir a buscar a Rita. Los cuadrados son las manzanas y estas son las calles —dije, señalando los espacios entre cada cuadrado—. Creo que al fin estoy viendo algo claro... Te dije que había una cosa que me daba vueltas y no sabía qué era, ¿no? Bueno, creo que ya lo sé...

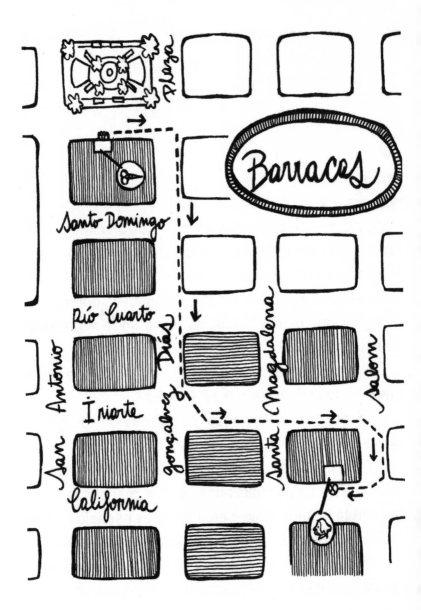

Plaza

Barracas

Santo Domingo

Río Cuarto

Iriarte

California

San Antonio

Gonzalez Díaz

Santa Magdalena

Salevu

Terminé el plano con los nombres de las calles y empecé a hacer rayitas marcando mi recorrido.

—¿Ves? Salí de mi casa y caminé hasta la esquina de Gonçalvez Días, doblé y seguí hasta Iriarte; crucé Iriarte y caminé derecho hasta Salom, crucé Salom y ahí me di cuenta de que había caminado una cuadra de más.

—Claro, podrías haber doblado en Santa Magdalena. En cambio así, tuviste que retroceder.

—Exacto. Me distraje, por eso seguí de largo.

—¿Y todo esto qué tiene que ver con el robo del anillo?

—No sé, pero lo vamos a descubrir. Acá hay algo raro, ya vas a ver... Resulta que cuando llegué a la esquina de California y doblé, casi choco con un tipo que no había visto; era Bernardo, que iba a la casa de Rita.

—¿Y eso qué tiene de raro? Si es el sobrino, ¿no puede ir a visitar a su tía?

—No me refiero a eso. Lo raro fue que casi me lo trago, yendo los dos para el mismo lado. ¿Ves? —terminé de marcar el tramo de rayitas que indicaban mi recorrido desde la esquina de Salom e Iriarte hasta la siguiente esquina de Salom y California—. Cuando doblé, ahí estaba él caminando en la misma dirección que yo. Lo que no entiendo es cómo no lo vi cuando cruzó o cuando dobló.

–Yo tampoco entiendo...

–Es raro, ¿no?

–No te entiendo a vos, Anita.

–¿Cómo que no me entendés? Si está clarísimo. Mirá –volví a señalar el último tramo de recorrido en el plano–, cruzo Salom, doblo en California y ahí está él, ¿de dónde salió? Si hubiera caminado por Salom igual que yo, lo habría visto. Si hubiera llegado por California, tendría que haber cruzado Salom y también lo habría visto. ¿Cómo no lo iba a ver, si no había un alma en la calle? Seguro que lo veía... Mi pregunta es: ¿de dónde salió que no lo vi? ¿Brotó de la vereda? Esto es lo que me venía preocupando y no me daba cuenta.

–Sí, ahora entiendo. Es como chocar un auto de atrás. Al de adelante siempre lo ves.

–Eso, al de adelante siempre lo ves...

Nos quedamos callados mirando el plano. Entonces empecé a marcar rayitas otra vez, ahora siguiendo el recorrido en dirección contraria.

–¿Y eso?

–Por acá caminamos los tres cuando Rita salió de su casa. Fuimos por California hasta la esquina de Santa Magdalena, doblamos, llegamos a Iriarte y apareció el 70, entonces Bernardo cruzó... –me quedé muda con la lapicera en el aire.

–Sí, ya lo sé, tomó el 70 y se fue a su casa. Lo dijo ayer Bernardo, cuando estábamos con el inspector Bordenave.

–Sí... pero hay algo más... –y me quedé muda otra vez.

Matías, que me conoce muy bien, se dio cuenta de que en mi cabeza las neuronas estaban en plena ebullición. Por eso se calló la boca y se quedó mirándome, mudo él también. Al fin empezaba a comprender.

–Dijo que venía de su casa, ¿te acordás? Bernardo dijo que venía de su casa...

–Sí, me acuerdo, ¿y...?

–¡Que mintió! Si venía de su casa, yo lo tendría que haber visto de frente... ¿Entendés?

No entendía, así que volví al plano y empecé a agregar calles.

–Bernardo vive acá –dije, marcando una cruz en el cuadradito correspondiente a California y Herrera–. ¿Ahora entendés?

–¡Ja! Está clarísimo. Si salió de su casa, como dijo, tenía que caminar hacia Salom, o sea que vos lo tendrías que haber visto de frente... Y lo viste de espalda...

–Lo vi como si hubiera brotado de la vereda, te dije...

–Y si lo viste de golpe... y al revés... ¡fue porque se dio vuelta!

–¡Sí! ¡Se dio vuelta! Eso era lo que no entendía.

–¿Y por qué se dio vuelta?

–Se dio vuelta para que yo creyera que estaba llegando a la casa de Rita, cuando en realidad, estaba saliendo...

–¡Ja! Y te vio cuando llegó a la esquina y vos estabas cruzando...

–Y tuvo que caminar despacio porque la casa de Rita está ahí nomás; si caminaba rápido, la iba a pasar antes de que yo llegara, entonces yo lo iba a ver "saliendo" que era precisamente lo que él no quería. Y como yo camino rápido, casi me lo llevo puesto.

–¿Y ahora qué hacemos? ¿Se lo tenemos que contar al inspector?

–Mejor hablamos con Rita y que se lo cuente ella. A una persona mayor le van a hacer más caso que a nosotros.

Matías me acompañó al chino y después a casa. Antes de entrar por la puerta del pasillo, espié por la ventana de la peluquería y vi que a mi abuela le quedaban dos clientas sin atender, más otra a la que le estaba cortando el pelo. ¿Tendría tiempo de ir hasta la casa de Rita con Matías antes de que terminara de atenderlas? Si nos apurábamos, podría volver justo para ocuparme de la comida.

Fuimos en bici. A Rita la encontramos en el jardín, charlando con la vecina de al lado a través de la reja.

Se alegró de vernos y nos hizo pasar.

–Vengan, vengan que todavía tengo bombones.

Dejamos las bicicletas en el jardín y otra vez nos sentamos en el living mientras iba a buscar la caja de bombones.

–Estoy tan triste –dijo cuando volvió con la caja–. Sirvanse. Yo también voy a comer. Necesito algo dulce. Hoy vino Angelina, ¿saben? No paraba de llorar... Me juró y rejuró que no tocó el anillo. Le dije que de ningún modo sospechaba de ella, que yo sabía que era inocente. Ay, qué pena me dio. La pobre no durmió en toda la noche, y para colmo Rogelio está en Bahía Blanca, y ella, solita... La mandé de vuelta a la casa para que descansara. Quería ponerse a limpiar, pero no la dejé.

Rita hizo una pausa y Matías me codeó, como si yo no supiera aprovechar la ocasión para empezar a hablar. Tosí un poquito, a manera de introducción, dije: "Bueno, nosotros tenemos algo que decirte" y largué todo. Conté con lujo de detalles mi recorrido por el barrio del día anterior hasta llegar a su casa, mi encuentro con Bernardo y la extraña situación del casi choque que tuve con él, la molestia que me persiguió hasta hacía un rato por no entender ese episodio y, finalmente, la deducción a la que había llegado con Matías.

—¡Criatura…! ¿No estarás insinuando que Bernardo robó el anillo? ¡Por todos los santos del cielo!

Rita se quedó mirándome, horrorizada, las dos manos sujetándose las mejillas, la boca abierta, los ojos como platos.

—Bueno… —murmuré, después de tragar medio bombón relleno de dulce de leche—. Alguien fue, y si Angelina está libre de sospecha y Rogelio en Bahía Blanca, nos queda Bernardo, que casualmente estaba en el lugar y el momento oportuno y, además… ¡caminando al revés!

—De ningún modo. Bernardo será algo tarambana, no lo niego, pero es una buena persona, y además es mi sobrino, el hijo de mi hermana, que en paz descanse. Y eso del recorrido al revés no tiene sentido. A lo mejor tomó el 70 y se bajó pasando Salom, por eso tuvo que retroceder. ¿Acaso vos no seguiste de largo, también?

—Te dije que no lo vi cruzar, Rita, y tampoco iba por Salom, lo habría visto. No había un alma en la calle, y de golpe, doblo en California y ahí estaba él, de espaldas, y casi me lo trago. ¿De dónde salió, me querés decir?

—Vos ibas distraída, lo dijiste, ¿no? Entonces no lo viste. Eso fue lo que pasó, nada más. Y no te olvides de que Bernardo no tiene la llave de esta casa. Y aunque la tuviera, jamás sospecharía de él.

Matías y yo nos miramos, pero no abrimos la boca. Para Rita, Bernardo era intocable, quedaba claro.

—Chicos, yo les agradezco su preocupación, pero pongo las manos en el fuego por Bernardo.

Y dale con las manos en el fuego. Si la frasecita tuviera algo de verdad, seguramente Rita se habría quedado sin manos hace tiempo.

—El inspector Bordenave se está ocupando de todo —siguió—. Me dejó su tarjeta para que lo llame en cualquier momento. La puse en la mesita de luz, junto al teléfono, por las dudas, así me siento más tranquila.

¿Quieren un vaso de jugo? –preguntó.

Aceptamos los dos y Rita se levantó.

–Ahora les traigo –dijo–. Primero voy al baño, enseguida vuelvo.

Apenas cerró la puerta del baño, corrí al dormitorio, pero antes le hice una seña a Matías para que se quedara donde estaba. Fui derecho hacia la mesita de luz, agarré la tarjeta de Bordenave y copié su número en mi celular. Volé de regreso al living y me senté frente a Matías, que me miraba mudo y ansioso por preguntar. En ese momento Rita salió del baño.

–Ya estoy con ustedes, chicos. ¿Les gusta el jugo de kiwi?

Cuando llegué a casa, mi abuela recién empezaba con la última clienta. Tuve tiempo de tender las sábanas y toallas que había dejado en el lavarropas, de preparar una salsa de tomates para los fideos, rallar el queso y poner la mesa. Cuando mi abuela me gritó desde la peluquería: "¡Terminé! ¡Podemos comer!", eché los fideos en la olla, me apoyé sobre la mesada y anoté algunas cosas en el cuaderno. En eso estaba, cuando apareció mi abuela. Quiso saber qué escribía y empecé a contar. Hablé y hablé, mientras ella escuchaba y preguntaba acerca de detalles aquí y allá. Cuando terminamos de comer, se quedó mirándome, pensativa, mientras yo limpiaba con un pedazo de pan los restos de salsa de mi plato.

—¿Y vos creés, en serio, que Bernardo robó el anillo? —dijo, al fin.

–¿Por qué no? Hasta ahora es el único sospechoso, por más que Rita diga que es imposible.

–No, no, no. Tiene que haber alguien más. Ni Angelina ni Bernardo; los dos son personas de confianza –concluyó, mientras se levantaba para lavar los platos.

Me dejó preocupada. ¿Valía la pena insistir con la culpabilidad de Bernardo? Ni Rita ni mi abuela parecían dispuestas a cambiar de opinión. Entonces me pregunté si tendría algún sentido llamar al inspector Bordenave, como había pensado hacer cuando guardé su número en mi celular. ¿Para qué?, si seguramente el inspector, después de hablar conmigo, llamaría a Rita para contarle mi sospecha y ella le diría que no me hiciera caso, que por Bernardo "ponía las manos en el fuego". No. Había que hacer otra cosa. Y la idea me la dio mi abuela.

–Me acuesto un ratito, ¿sabés? Me duelen las piernas. La primera clienta viene a las tres y media, así que puedo dormir una hora. Despertame a las tres, y después, si querés, te vas a andar en bici con Matías, que ayer no pudiste. ¿Te parece?

Sí, claro que me parecía. Lo llamé a

Matías y le dije que a las tres y cuarto nos encontrábamos en la plaza con las bicicletas. Yo tenía una idea, nada del otro mundo, pero al menos era algo. Me quedé leyendo en la cocina hasta las tres, la desperté a mi abuela, metí el cuaderno de notas en el canasto de la bici y salí.

—¿Adónde vamos? —preguntó Matías.

—A la casa de Bernardo.

—¿Y para qué?

—Para ver qué hace. Si sale, lo seguimos y vemos adónde va, con quién se encuentra, y cosas así.

—¿Y si no sale?

—Si no sale, volvemos mañana. En algún momento tendrá que salir.

—Mmm... Tu idea no me convence.

—¿Se te ocurre algo mejor?

A Matías no se le ocurrió nada mejor, así que nos pusimos en marcha. Le metimos por San Antonio derecho hasta California, doblamos y seguimos casi hasta llegar a Herrera. La casa de Bernardo estaba a mitad de cuadra, yo la conocía bastante bien porque había acompañado a Rita varias veces al salir de la peluquería; la última vez había sido un mes atrás, el día del cumpleaños de Bernardo. Ese viernes estaban las hermanas, que me hicieron pasar y me convidaron con torta. Ahora había un camión estacionado enfrente, lo que sin duda sería un buen escondite para controlar sus movimientos.

Dejamos las bicicletas apoyadas en un árbol y nos sentamos en la vereda, junto al camión. Si Bernardo llegaba a salir de su casa, nos corríamos un poco y el camión nos tapaba. Habrían pasado unos quince o veinte minutos, cuando se abrió la puerta de la casa de Bernardo y una carcajada de mujer explotó en el aire como una andanada de fuegos artificiales. Una chica apareció en el umbral, dele reírse. Matías y yo nos hicimos chiquitos detrás de las ruedas del camión, pero sacamos la cabeza para espiar. Bernardo abrazaba a la chica y la empujaba contra el marco de la puerta; se besaron en la boca. Fue un beso largo. Después él miró a la calle, hacia un lado y otro, y ella volvió a reírse. Entonces se escuchó clarito que decía: "No seas tontito. ¿No ves que no hay nadie? ¿De qué tenés miedo?". La chica tenía una voz cantarina, alegre. Se besaron otra vez, pero enseguida se separaron. Ella caminó unos pasos por la vereda, mientras él

la miraba por la puerta entreabierta. De golpe se dio vuelta y dijo:

—Aprovechá y dormí la siesta, así después estás fresquito. Cinco y media estoy acá, ¿eh? —volvió a reírse como antes, y le tiró un beso con la mano.

Bernardo le devolvió el beso del mismo modo y cerró la puerta, ella caminó unos metros más y entró en una casa que tenía un toldo sobre una de las ventanas y un cartel en la pared, donde decía: "Kiosco 'Los amigos', bebidas frescas". La ventana estaba cerrada.

—Bernardo tiene novia —dijo Matías, bien bajito, como con miedo de que alguien lo escuchara.

—Mmm, esto es raro. Ella es muy joven para él. Parece de la edad de Ana Laura.

–Y qué, ¿no puede tener una novia joven?

–Si Bernardo es viejo, Matute. Tiene edad como para ser el padre de la chica, no el novio. Acá hay algo, ¿te das cuenta?

–¿Querés decir que ella está con él por interés?

–Claro, seguro que él le prometió el anillo. O a lo mejor ya se lo dio...

"Cinco y media estoy acá" había dicho ella. "Dormí la siesta", y seguro que Bernardo se acostaba y dormía, porque daba toda la impresión de que la chica lo dominaba. Miré la hora en mi celular: las cuatro y dos minutos.

–¿Y ahora qué hacemos? –dijo Matías–. ¿Vamos a seguir acá sentados hasta las cinco y media?

Me había quedado con la mirada perdida en la puerta de Bernardo, cuando Matías habló otra vez:

–Uyy... Mirá. Se abrió la ventana del kiosco.

La persiana estaba levantada por completo. Desde adentro, alguien colgaba cosas en la reja, seguramente ristras de bolsas de maníes y de papas fritas.

—¿Lo atenderá la chica? Podríamos ir a ver —se me ocurrió.

Revisé mis bolsillos: ni una moneda.

—Yo tengo dos pesos —dijo Matías—. Para caramelos alcanza.

Agarramos las bicis y cruzamos. Antes de llegar a la ventana oímos unas voces. La chica no estaba sola, hablaba con un hombre. Nos pegamos a la pared y paramos la oreja.

—Cinco y media te dije, ni un minuto más. Lo paso a buscar y enseguida nos vamos. No sabés lo que me costó convencerlo. Le pedí que me llevara a tomar un café por Montes de Oca.

—Está bien. Yo me voy a dar una vuelta por ahí. Va a salir todo bien. Quedate tranquila.

A esa altura de la conversación los dos se callaron, dejé pasar unos segundos y me paré frente a la ventana; Matías me siguió y se paró a mi lado. La chica y el hombre se estaban besando.

—Lo engaña a Bernardo... —me susurró en la oreja el muy pajaronazo.

Le clavé el codo en el estómago y gritó, entonces la chica y el muchacho nos miraron, entre sorprendidos y enojados. El más enojado era él.

—¿Qué quieren? –preguntó, en voz bien alta.

—Dos pesos de caramelos de dulce de leche –dije yo, con mi mejor cara de estúpida (por las dudas).

Matías le dio los dos pesos a la chica, que empezó a poner caramelos en una bolsita, mientras el muchacho encendía un cigarrillo. Tratando de no abandonar en ningún momento mi cara de estúpida, me dediqué a mirarlo. Era muy lindo, alto, con el pelo castaño bien cortito; tenía los ojos de un marrón claro medio verdoso, las pestañas negras y espesas. De golpe, mientras largaba el humo del cigarrillo, me miró, entonces yo lo miré a Matías, que justo en ese momento agarraba la bolsita de caramelos que le entregaba la chica, muy sonriente. Apenas nos apartamos de la ventana, volvimos a escuchar su voz:

—Mi hermano llega a las cinco. Mejor andate ahora.

Matías y yo nos miramos, pero no dijimos una palabra. Seguimos por la vereda hacia el lado de Herrera, empujando las bicis y repartiéndonos los caramelos. Antes de llegar a la casa de Bernardo, me di vuelta. El muchacho salía del kiosco y caminaba hacia la otra esquina.

Por suerte, a dos cuadras teníamos una plaza. No es que haya muchas plazas en esta parte de Barracas, al contrario, hay pocas, pero las cosas se dieron así y siempre es bueno tener una plaza a mano. Allá fuimos. Nos sentamos en un banco y saqué mi cuaderno.

La chica convence a Bernardo para ir a tomar un café a Montes de Oca, anoté.

Bernardo prefería no salir. Ella insistió. Motivo aparente: lucir el anillo. Motivo real: robo del anillo.

En esto estábamos los dos de acuerdo. La cosa era así: Bernardo, loco de amor por la chica, le regala el anillo. O se lo presta por un rato, para que pueda lucirlo, con la idea de venderlo después y repartirse la plata entre los dos. A Bernardo eso de salir con el anillo mucho no le gusta, pero como está enamorado, se deja convencer. Lo que no sabe es que la chica arregló con el muchacho para fingir un robo, así, mientras los dos van caminando por alguna calle no muy transitada, el muchacho aparece de golpe, los amenaza con una pistola, les pide plata y, oh sorpresa, ve el anillo que lleva la chica. Se lo saca y desaparece. La chica llora, Bernardo tal vez se infarte, pero lo que no puede hacer es ir a una comisaría para denunciar el robo. ¡Si él fue el primer ladrón! No puede hacer nada y no hará nada. La chica dejará pasar unos días para no levantar sospechas, y finalmente lo dejará a Bernardo y se irá con el muchacho. Fin de la historia. Lo anoté más

o menos así y agregué una reflexión de Matías que me pareció interesante:

Comentario de M.E.: Robo perfecto. Ninguna conexión entre Rita, verdadera dueña del anillo, y el segundo ladrón. Sin pistas para la policía.

Y más abajo:

Siguiente paso de A.D.: llamar al inspector Bordenave.

Me felicité a mí misma por haber guardado el número en mi celular. Soy muy precavida. El inspector atendió enseguida. Le dije quién era, aunque tuve que refrescarle la memoria con algunos detalles, como "la chica que estaba ayer en la casa de Rita, cuando lo llamaron a usted por el robo del anillo de esmeraldas, ¿se acuerda?" Por la respuesta que obtuve ("ehhh... ¿ayer... a la tarde...?") deduje que mucho no se acordaba, así que insistí: "sí, yo estaba ahí con mi amigo Matías; los dos acompañamos a Rita a su casa cuando salió de la peluquería". Y ahí parece que se acordó del todo porque dejó de titubear y preguntó, muy seguro:

–Bueno, ¿qué pasa?

–Pasa que el anillo lo robó Bernardo, el sobrino de Rita, para regalárselo a su novia, la chica que atiende el kiosco que está en la misma cuadra de la casa de

Bernardo —dije, de un tirón, y seguí, antes de que me interrumpiera—: Pero la chica lo engaña con un muchacho joven y lindo, que le va a robar el anillo en la calle...

—¡Un momento! —no pude impedir que me interrumpiera—. ¿Quién te dijo que el anillo lo robó el sobrino de la señora?

—No me lo dijo nadie, yo lo sé porque lo encontré en la calle cuando iba a buscar a Rita para llevarla a la peluquería. Él le dijo a usted que venía de su casa, pero si hubiera sido así, tendría que haber llegado por otra calle, porque vive en California y Herrera, ¿se da cuenta de que mintió?

—No entiendo nada.

—Lo que quiero decir es que vive hacia el Este y apareció por el Oeste. Al revés, ¿no entiende?

—A... Anita te llamás, ¿no es cierto? Bueno, lo que yo entiendo, Anita, es que te estás metiendo donde nadie te llamó. De investigar nos ocupamos los policías, no los chicos que no saben nada. El sobrino de la señora Rita está fuera de toda sospecha, así que vos y tu amiguito pueden dejarlo tranquilo.

Insistí con la chica del kios-co, el muchacho, el paseo, la conversación que escucha-mos por la ventana y no sé qué más, pero no hubo  caso. Que los chicos vayan a jugar y dejen que los adultos trabajen tranquilos. Más o menos esa era la cosa. Me dio mucha rabia. Matías miraba su celular.

–Cinco y veinticinco –dijo, sorprendido–. Dale, va-mos. Seguro que la chica ya fue a buscar a Bernardo.

Fuimos por Herrera y, al llegar a la esquina de Cali-fornia, los vimos a los dos, que avanzaban por la vere-da de enfrente, tomados del brazo. Nos pegamos a la pared en un intento de mimetizarnos con la casa de la esquina; menos mal que Bernardo y la chica iban dele charlar, mirándose el uno al otro, que si no, ni la mime-tización con la casa nos salvaba.

–¿Y ahora qué hacemos? –preguntó Matías.

–Los seguimos, otra cosa no se me ocurre.

–Sí, pero cuando aparezca el muchacho a robar el anillo, nos va a ver.

Me quedé pensando. Matías tenía razón. El mucha-cho nos había visto en el kiosco, podría sospechar de nosotros. Era peligroso.

—Bueno, los seguimos un ratito y nos quedamos por ahí, así cuando aparece el muchacho, llamamos a la policía. No a Bordenave, ¿eh?, que no nos cree. Al 911, mejor.

Bernardo y la chica cruzaron la autopista, y nosotros, detrás. Siguieron hasta Montes de Oca, volvieron a cruzar y, en la vereda de enfrente, Bernardo le hizo señas a un taxi. ¡Ja!, el sobrino de Rita acababa de desbaratar los planes de la chica y el muchacho. ¿Y ahora?

—Bueno, puede ser que lo robe cuando salgan del bar –dijo Matías, con bastante lógica, y enseguida agregó la consabida pregunta–: ¿Y ahora qué hacemos?

¿Qué se podía hacer? Revisamos las opciones y las fuimos rechazando a medida que se nos ocurrían. Seguir al taxi ya no tenía sentido, nos llevaba mucha ventaja. Además, cuando Bernardo y la chica entra-

ran al bar, ¿qué íbamos a hacer nosotros? ¿Esperar en la puerta hasta que salieran? ¿Y después seguirlos hasta que apareciera el muchacho a robar el anillo? ¿Y si tomaban otro taxi?

Miré la hora: ya eran casi las seis, la hora de la merienda. Consideré que lo mejor que podíamos hacer era volver sobre nuestros pasos, como dicen en las novelas cuando alguien pega la vuelta y regresa al lugar de donde partió. Matías estuvo de acuerdo. Lo invité a tomar la leche en casa, así leíamos las anotaciones del cuaderno y repasábamos los hechos desde el principio. Después veríamos qué hacer. A veces, cuando uno está metido en un asunto difícil y no ve la salida, lo mejor es tomar un poco de distancia y volver a la rutina de lo cotidiano. Me moría de ganas por una chocolatada con pan y manteca.

Así que, sencillamente, dimos media vuelta y enfilamos otra vez hacia la autopista, cruzamos, y al llegar a la esquina de Herrera y California nos pusimos a discutir por qué calles íbamos a volver. Yo quería agarrar Iriarte derecho y después San Antonio, que era el camino más directo, en cambio Matías insistía con seguir por Herrera hasta el puente viejo y ahí pegar la vuelta.

—Dale, así pedaleamos un rato. Si estuvimos todo el tiempo sentados...

Ya me estaba convenciendo, cuando de repente algo me dejó muda de asombro: un hombre salía de la casa de Bernardo y caminaba en dirección contraria a donde estábamos nosotros. Era él, claro.

—¿Qué hacía el muchacho en la casa de Bernardo? —dijo Matías.

Entonces comprendí. Me cayeron todas las fichas juntas.

—¿Qué iba a hacer, Matute? Robar el anillo. Lo que no entiendo es cómo no nos dimos cuenta antes. Hizo lo mismo que Bernardo en la casa de Rita: entró con la llave y robó el anillo.

—¡Claro! Y la llave se la dio la chica... ¿Y ahora qué hacemos?

¿Qué podíamos hacer? Muchas opciones no teníamos. El muchacho ya nos llevaba casi una cuadra de ventaja, así que empezamos a pedalear para ese lado. Cruzó Vieytes y siguió hasta San Antonio, ahí dobló a la derecha y siguió, siempre a pasos largos, pero sin correr, tranquilo, como si nada. Nosotros no teníamos

más remedio que ir parando a cada rato para no alcanzarlo. Cuando llegó a Australia, dobló a la izquierda, y ahí sí que me preocupé: estábamos en la zona de la estación de carga del ferrocarril y de los hospitales neuropsiquiátricos –el Moyano y el Borda– lo que significaba: ni un alma en la calle, sólo paredones, vías y terraplenes. ¿Adónde iba este tipo?

Entre la estación de carga y el Moyano hay una calle de lo más desolada, que no sé cómo se llama. Por ahí se metió. Matías y yo nos quedamos parados en la esquina, mientras él avanzaba hacia el lado de la avenida Vélez Sárfield.

–¿Hasta dónde lo vamos a seguir, Anita?

–Y yo qué sé. Un poco más, dale.

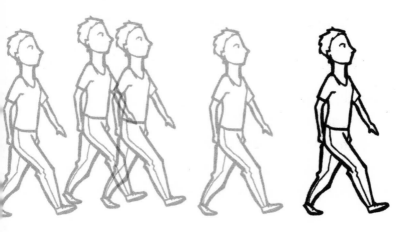

Allá fuimos. Entre el tipo y nosotros, nadie; ni un perro. Y la calle es larguísima; si se llegaba a dar vuelta, no sé qué íbamos a hacer. De repente, el tipo cruzó y dobló. Le metimos con todo, por las dudas, total, nos quedábamos en la esquina y lo espiábamos desde ahí hasta que hubiera entre nosotros una distancia prudente como para seguirlo otra vez. Esas eran nuestras intenciones, pero apenas alcanzamos la esquina, comprendimos que lo habíamos perdido. Cruzamos y nos quedamos mirando las casas de la cuadra.

–Tiene que haber entrado en alguna de estas casas –dijo Matías.

–Seguro, pero andá a saber en cuál.

Entonces se me ocurrió algo.

–Me parece que es el momento de volver a insistir con el inspector Bordenave –dije.

—No te va a llevar el apunte, como antes...

—Vas a ver que sí. Antes le dije que la chica había salido con el anillo y él me dijo que era un disparate. Pero ahora es diferente: vimos al muchacho cuando salía de la casa de Bernardo, ¿te das cuenta? Tiene que creerme —dije, mientras sacaba el celular del bolsillo.

No había terminado de sacarlo, cuando se abrió la puerta de la casa frente a la que estábamos parados.

—¿Ya se comieron todos los caramelos, chicos?

Desde lo que parecía un zaguán –la puerta abierta del todo, pero sin asomarse a la calle– el tipo nos apuntaba con una pistola. Y aunque se hubiera asomado: ¿quién lo iba a ver? Enfrente, el paredón del Moyano; a los costados, nadie. Entramos, desde luego. Nos hizo dejar las bicicletas en el patio y nos guió hacia una habitación, siempre a punta de pistola. Era un comedor: una mesa, varias sillas y un aparador con puertas de vidrio. Nos dijo que nos sentáramos y abrió un cajón del aparador. Sacó varias servilletas, que fue desdoblando con un movimiento rápido de la mano, para observarlas y a continuación desecharlas; así, hasta que encontró tres, que más que servilletas parecían pequeños manteles, y las puso sobre la mesa.

–No son muy buenos siguiendo a la gente, chicos –dijo.

¿En qué momento se habría dado cuenta? No me animé a preguntarle.

—Así que "inspector Bordenave"... Miren qué bien. ¿Es amigo de ustedes?

No contestamos, pero parece que no esperaba respuesta, porque siguió:

—Bueno, bueno. No tengo tiempo para andar haciendo averiguaciones. Se quedan tranquilitos y todo va a salir bien —y dirigiéndose a mí, ordenó—: Dame el celular.

Se lo di y lo dejó sobre la mesa.

—Muy bien —dijo, siempre sin soltar la pistola—. Ahora, vos vas a atarle las manos a tu amiguita, por detrás del respaldo de la silla. Tomá —y le tiró a Matías una de las servilletas que había separado.

Matías me miró como esperando que yo le diera permiso.

—¿No entendiste? —lo apuró el muchacho—. Poné los brazos para atrás —me dijo a mí.

Le hice caso y Matías empezó a atarme las muñecas.

—Otro nudo —ordenó—. Y más fuerte, dale. Así, muy bien. Ahora, los pies —y le tiró otra servilleta.

Esta vez, Matías me ató sin consultarme con la mirada ni con nada.

—Perfecto. Ahora sentate —le dijo a Matías, mientras dejaba la pistola sobre la mesa.

Con la tercera servilleta le ató los brazos, y después sacó un mantel grande, y un cuchillo, de otro cajón.

No sé qué cara pusimos al ver el cuchillo, pero el tipo se rió y lo clavó varias veces en el mantel.

Después lo guardó de nuevo en el cajón y rasgó la tela en tiras gruesas. Con una, le ató las piernas a Matías, y con las otras dos nos amordazó. Reforzó los nudos de mis ataduras, se puso la pistola en la cintura del jean y dijo:

—Si se quedan quietitos, no va a pasar nada, pero al menor movimiento...—y acarició la culata de la pistola, mientras nos miraba sonriendo.

Matías y yo, duros como dos bloques de cemento. ¿Movernos? ¿A quién se le iba a ocurrir? Si apenas respirábamos. El muchacho abrió una puerta que estaba detrás de nosotros. El silencio era absoluto. Pasaron unos segundos, cuando oímos su voz desde la otra habitación. Hablaba por teléfono.

—Vení ya mismo —decía casi en un susurro—. Si no venís, me rajo y no me ves más.

—...

—No hay tiempo para explicaciones. Pasó algo, pero está todo bien. Tenés que apurarte. Si no... ya sabés.

Eso fue todo. Después sentí olor a cigarrillo. Fue lo único que delató su presencia detrás de nosotros. Ni un movimiento, ni una palabra, nada. Ahí estaba él, fumando y vigilándonos mientras esperaba a la chica del kiosco.

No sé cuánto tiempo habría pasado, pero hacía un rato largo ya que había dejado de oler el humo del cigarrillo, cuando sonó un timbre. El muchacho corrió hacia la puerta del comedor que daba al patio.

El timbre sonó una vez más. Se ve que la chica estaba impaciente.

–¿Qué pasó? –nos llegó su voz desde el zaguán, fuerte y alterada.

La respuesta del muchacho fue apenas un murmullo y, a continuación, la voz de la chica se volvió una especie de zumbido imposible de comprender. En eso, mi celular empezó a vibrar sobre la mesa. Me había olvidado de que le había quitado el sonido cuando empezamos a bordear el Moyano, por temor a que sonara justo ahí, en pleno silencio, y él se diera cuenta de que lo seguíamos.

Matías se tiró para adelante, como si quisiera agarrarlo con la boca. Creo que si no hubiéramos estado amordazados, tal vez podría haber sido una buena idea, no sé, suponiendo que se pueda apretar una tecla con un diente; habría que ver. De todos modos, Matías se dio cuenta enseguida de que era imposible y me miró con cara de resignación. El teléfono dejó de vibrar. ¿Habría sido mi abuela? A lo mejor necesitaba una mano en la peluquería, qué sé yo. O Ana Laura, que algunos sábados se le ocurría tomar la leche conmigo y aparecía con facturas... Mientras tanto, afuera seguían los murmullos. Hice un esfuerzo por pescar algo, cuando el celular empezó a vibrar otra vez.

—Dejamos a uno con las manos desatadas y nos vamos. Cuando ellos salgan de acá, nosotros ya estamos lejos —la voz de la chica.

Se estaban acercando.

—Voy a buscar el bolso —primero la voz, y enseguida el muchacho completo, que pasó como una ráfaga junto a nosotros y se metió en la habitación de atrás.

El celular vibró unos segundos más y enseguida se quedó quietito sobre la mesa. Entonces apareció la chica en el marco de la puerta. Llevaba una mochila al hombro y anteojos oscuros. El pelo, que antes le caía

sobre la espalda, ahora se lo había recogido en un rodete alto con una hebilla de flores. Se quedó ahí parada; seguramente nos estaba estudiando a Matías y a mí, pero con los anteojos negros mucho no se podía saber. El muchacho volvió a pasar junto a nosotros, ahora con un bolso grande y una mochila.

Entonces sonó el timbre de la calle.

—¿Quién puede ser? —dijo la chica, bajito.

—No sé. No hables, vamos a esperar que se vaya —contestó él, en un susurro.

El timbre volvió a sonar. Esta vez fue un timbrazo largo.

—¿No te habrán seguido...?

—¿Quién? Si nadie sabe nada...

Entonces nos miraron a nosotros. Yo lo miré a Matías. Matías me miró a mí. El timbre siguió sonando. Al timbre se le sumaron golpes a la puerta. A los golpes, gritos... y cerré los ojos. Creo que Matías también.

Cuando abrí los ojos, la chica y el muchacho no estaban. Los golpes seguían, cada vez más furiosos. De repente, algo así como una explosión y más gritos, pero ahora las palabras se distinguían con claridad:

—¡La terraza! ¡La terraza! ¡Por allá! ¡La escalera!

Dos, tres, cuatro policías pasaron corriendo por el patio en dirección al fondo de la casa. Y nosotros, ahí, como si estuviéramos de adorno. Ni nos miraron, siquiera. Era evidente que el muchacho y la chica se estaban escapando por la terraza, pero al menos alguno se podría haber ocupado de nosotros. ¿Y si no volvían y nos dejaban ahí? Ya hacía un rato que habíamos empezado a tratar de aflojar los nudos de las servilletas, dele mover las manos y los pies, sin ningún resultado: los nudos eran muy fuertes o nosotros, muy débiles.

No sé cuántos minutos habrían pasado, cuando una voz conocida nos sorprendió a los dos.

—Está bien, agente. Deje que yo me hago cargo. Vaya, nomás.

Enseguida, la figura alta y elegante del inspector Bordenave se recortó en el marco de la puerta. Llevaba un traje color caramelo, impecable; camisa amarilla y corbata con rayas marrones. Como cuando lo vimos en la casa de Rita, parecía listo para una sesión de fotos.

—Bueno, bueno... —dijo, y avanzó hacia nosotros, perfumando el aire a su paso.

Apenas le llevó unos minutos desatarnos. Había pensado que cuando me sacaran la mordaza iba a empezar a los gritos, pero nada que ver. Me había quedado muda. El que habló fue Matías.

—Nos ató el muchacho y nos amenazó con una pistola y después vino la chica porque él la llamó por teléfono y nosotros lo seguimos hasta acá porque lo vimos cuando salía de la casa de Bernardo y...

—Sí, sí, ya lo sé —dijo el inspector—. Ahora tranquilizate, que ya pasó todo. Están bien, ¿no?

¿Cómo que "ahora tranquilizate, que ya pasó todo"? Qué caradura. "Están bien, ¿no?" De golpe me volvió el habla.

—¿Y se puede saber por qué no nos hizo caso cuando lo llamé por teléfono? —le pregunté, enojada.

—Sí, tenían razón y les pido disculpas por no haberles creído de entrada. Pero igualmente me quedó la sospecha, por eso llamé a la comisaría para que mandaran a unos agentes a vigilar la casa de Bernardo. Los dos que fueron vieron movimientos extraños y me avisaron enseguida. La chica había salido corriendo de la casa y había ido al kiosco. Al rato salió con una mochila, subió a un auto que estaba estacionado a la vuelta y vino para acá. Uno de los agentes la siguió y el otro se quedó vigilando la casa de Bernardo. Avisé a la comisaría que mandaran refuerzos y después vine yo. Llamé a tu celular dos veces...

Lo interrumpió un policía de uniforme que entró, agitado, al comedor.

—Señor, detuvimos a los sospechosos cuando intentaban escapar por la casa de la esquina.

—Muy bien, agente. Ya voy con ustedes.

—¿Y Bernardo? —pregunté—. No se olvide de que el primer ladrón fue él.

—No me olvido de nada, chicos. Yo me encargo, no se preocupen. Ahora un patrullero los va a llevar a sus casas. Gracias por todo.

El domingo a la tarde, Rita nos invitó a tomar el té. Matías y yo fuimos los invitados especiales, pero también estaban mi abuela y Angelina.

—Ay, chicos, si no hubiera sido por ustedes, habría perdido mi anillo para siempre —nos dijo, apenas llegamos—. No sé cómo agradecerles.

La verdad, tanto Matías como yo con el reconocimiento teníamos de sobra. Lo que no me bancaba era la suficiencia del inspector Bordenave; quedó como el héroe y la investigación la hicimos nosotros. Menos mal que Rita y nuestras familias, al menos, se dieron cuenta de todo. Eso sí, mucho no les gustó que hubiéramos seguido al muchacho. La madre de Matías casi se desmaya cuando se enteró de todo; y mi abuela me dio un sermón de media hora. Pero eso fue el sábado, después de que el patrullero nos dejó en casa.

El domingo, los ánimos familiares ya estaban calmados. Después llegó la invitación de Rita y todos nos alegramos.

—Todavía no puedo entender que Bernardo haya sido capaz de robarte el anillo, Rita —dijo mi abuela, cuando estábamos sentados a la mesa.

—Yo tampoco lo entiendo, Ana María. Me duele mucho lo que hizo y no se lo voy a perdonar. Cada vez que me pedía plata para pagar sus deudas de juego, yo le daba. Lo que podía, claro, pero le daba. Además, insinuar que lo había robado Angelina cuando había sido él... por favor...

—¿Cómo hizo para entrar, si nunca le diste las llaves? —preguntó Matías.

—Él venía mucho a casa. En algún momento se las habrá llevado para hacer una copia...

—¿Te acordás cuando estuviste en cama con gripe, hará un mes y medio, más o menos? —dijo Angelina—. Bernardo venía varias veces en el día. Yo me quedaba hasta la noche, pero una vez me fui después del almuerzo porque tenía que hacer un trámite y él se quedó acompañándote. Yo volví a la tardecita, así que tuvo tiempo de sobra para llevarse las llaves y hacer una copia, mientras vos dormías la siesta.

—Y la chica esa, la vecina —dijo mi abuela—, ¿cómo se enteró de que Bernardo tenía el anillo?

—El muy zonzo se dejó engatusar —dijo Rita—. No sólo con el juego tenía problemas... —y les hizo un gesto a mi abuela y a Angelina, como dando a entender que mucho no podía hablar porque había chicos presentes.

Me dieron ganas de reírme, pero me aguanté. Lo miré a Matías de reojo: estaba muy ocupado con una bombita de chocolate más grande que toda su bocaza abierta; me pareció que mucha atención no estaba prestando.

—¿Y ahora qué vas a hacer con el anillo? —preguntó mi abuela—. ¿Lo vas a poner en una caja de seguridad?

—Eso es lo que le dije al inspector Bordenave para que me dejara tranquila; me insistió tanto para que lo llevara a un banco, que al final le dije que sí, que mañana mismo lo llevaba. Pero lo voy a seguir usando en casa, como siempre.

Bueno, después de todo cada uno hace lo que le parece mejor. Y está bien. ¿Para qué quería Rita un anillo encerrado en una caja de seguridad? Que no lo sacara a la calle, me parecía prudente. Pero que no pudiera usarlo en su propia casa sería el colmo.

Como Matías acabó con las bombitas y yo, con los sánguches de miga que quedaban en la mesa, Angelina se levantó para volver a llenar los platos y, de paso, poner agua para otro té. Le pregunté a Matías si quería salir a dar una vuelta en bici y estuvo de acuerdo. Cuando nos íbamos, Angelina ya estaba otra vez sentada a la mesa. Antes de cerrar la puerta de calle, alcancé a oír la voz de Rita.

–Sí, chicas, como les decía, el asunto ese con la vecina del kiosco...

Agarramos las bicicletas, que habían quedado en el jardín, y salimos. La tarde estaba linda. No hacía tanto calor. Corría una brisita suave que llevaba el perfume de las rosas hasta la vereda. Empezamos a pedalear hacia el parque Pereyra. Lo bueno del verano es que oscurece tarde. Hasta la puesta del sol, teníamos tiempo de sobra.

Los casos de Anita Demare

El paragüas floreado

¿Un ladrón interesado en un paraguas amarillo con grandes flores de colores? Los vecinos no entienden por qué alguien podría robar un objeto de tan poco valor... ¡aunque esté lloviendo torrencialmente! Por supuesto, Anita tiene grandes dudas. En compañía de su amigo Matías, vivirá una peligrosa aventura y no se detendrá hasta resolver este extraño caso.

Los casos de Anita Demare: una colección de Norma Huidobro solo para chicos valientes.

GRUPO
EDITORIAL
norma

Mis notas:

Mis notas: